poèmes

OUVRAGES DE SAMUEL BECKETT

Romans et nouvelles

Bande et sarabande
Murphy
Watt ("double", n° 48)
Premier amour
Mercier et Camier ("double", n° 38)
Molloy ("double", n° 7)
Malone meurt ("double", n° 30)
L'Innommable ("double", n° 31)
Nouvelles (L'expulsé, Le calmant, La fin) et Textes pour rien
L'Image
Comment c'est
Têtes-mortes (D'un ouvrage abandonné, Assez, Imagination morte imaginez, Bing, Sans)
Le Dépeupleur
Pour finir encore et autres foirades (Au loin un oiseau, Se voir, Immobile, Lafalaise, Plafond, ni l'un ni l'autre)
Compagnie
Mal vu mal dit
Cap au pire
Soubresauts

Poèmes

Les Os d'Écho
Poèmes, *suivi de* Mirlitonnades

Essais

Proust
Le Monde et le pantalon, *suivi de* Peintres de l'empêchement
Trois dialogues

Théâtre, télévision et radio

Eleutheria
En attendant Godot
Fin de partie
Tous ceux qui tombent
La Dernière bande, *suivi de* Cendres
Oh les beaux jours, *suivi de* Pas moi
Comédie et actes divers (Va-et-vient, Cascando, Paroles et musique, Dis Joe, Acte sans paroles I, Acte sans paroles II, Film, Souffle)
Pas, *suivi de* Quatre esquisses (Fragment de théâtre I, Fragment de théâtre II, Pochade radiophonique, Esquisse radiophonique)
Catastrophe et autres dramaticules (Cette fois, Solo, Berceuse, Impromptu d'Ohio, Quoi où)
Quad et autres pièces pour la télévision (Trio du Fantôme, ... que nuages..., Nacht und Träume), *suivi de* L'épuisé *par* Gilles Deleuze

SAMUEL BECKETT

poèmes

suivi de
mirlitonnades

LES ÉDITIONS DE MINUIT

ISBN : 978-2-7073-0229-8

elles viennent
autres et pareilles
avec chacune c'est autre et c'est pareil
avec chacune l'absence d'amour est autre
avec chacune l'absence d'amour est pareille

à elle l'acte calme
les pores savants le sexe bon enfant
l'attente pas trop lente les regrets pas trop longs l'ab-
[sence
au service de la présence
les quelques haillons d'azur dans la tête les points enfin
[morts du cœur
toute la tardive grâce d'une pluie cessant
au tomber d'une nuit
d'août

à elle vide
lui pur
d'amour

être là sans mâchoires sans dents
où s'en va le plaisir de perdre
avec celui à peine inférieur
de gagner
et Roscelin et on attend
adverbe oh petit cadeau
vide vide sinon des loques de chanson
mon père m'a donné un mari
ou en faisant la fleur
qu'elle mouille
tant qu'elle voudra jusqu'à l'élégie
des sabots ferrés encore loin des Halles
ou l'eau de la canaille pestant dans les tuyaux
ou plus rien
qu'elle mouille puisque c'est ainsi
parfasse tout le superflu
et vienne
à la bouche idiote à la main formicante
au bloc cave à l'œil qui écoute
de lointains coups de ciseaux argentins

ASCENSION

à travers la mince cloison
ce jour où un enfant
prodigue à sa façon
rentra dans sa famille
j'entends la voix
elle est émue elle commente
la coupe du monde de football

toujours trop jeune

en même temps par la fenêtre ouverte
par les airs tout court
sourdement
la houle des fidèles

son sang gicla avec abondance
sur les draps sur les pois de senteur sur son mec
de ses doigts dégoûtants il ferma les paupières
sur les grands yeux verts étonnés

elle rôde légère
sur ma tombe d'air

LA MOUCHE

entre la scène et moi
la vitre
vide sauf elle

ventre à terre
sanglée dans ses boyaux noirs
antennes affolées ailes liées
pattes crochues bouche suçant à vide
sabrant l'azur s'écrasant contre l'invisible
sous mon pouce impuissant elle fait chavirer
la mer et le ciel serein

musique de l'indifférence
cœur temps air feu sable
du silence éboulement d'amours
couvre leurs voix et que
je ne m'entende plus
me taire

bois seul
bouffe brûle fornique crève seul comme devant
les absents sont morts les présents puent
sors tes yeux détourne-les sur les roseaux
se taquinent-ils ou les aïs
pas la peine il y a le vent
et l'état de veille

ainsi a-t-on beau
par le beau temps et par le mauvais
enfermé chez soi enfermé chez eux
comme si c'était d'hier se rappeler le mammouth
le dinothérium les premiers baisers
les périodes glaciaires n'apportant rien de neuf
la grande chaleur du treizième de leur ère
sur Lisbonne fumante Kant froidement penché
rêver en générations de chênes et oublier son père
ses yeux s'il portait la moustache
s'il était bon de quoi il est mort
on n'en est pas moins mangé sans appétit
par le mauvais temps et par le pire
enfermé chez soi enfermé chez eux

DIEPPE

encore le dernier reflux
le galet mort
le demi-tour puis les pas
vers les vieilles lumières

Rue de Vaugirard

à mi-hauteur
je débraye et béant de candeur
expose la plaque aux lumières et aux ombres
puis repars fortifié
d'un négatif irrécusable

Arènes de Lutèce

De là où nous sommes assis plus haut que les gradins
je nous vois entrer du côté de la Rue des Arènes,
hésiter, regarder en l'air, puis pesamment
venir vers nous à travers le sable sombre,
de plus en plus laids, aussi laids que les autres,
mais muets. Un petit chien vert
entre en courant du côté de la Rue Monge,
elle s'arrête, elle le suit des yeux,
il traverse l'arène, il disparaît
derrière le socle du savant Gabriel de Mortillet.
Elle se retourne, je suis parti, je gravis seul
les marches rustiques, je touche de ma main gauche
la rampe rustique, elle est en béton. Elle hésite,
fait un pas vers la sortie de la Rue Monge, puis me suit.
J'ai un frisson, c'est moi qui me rejoins,
c'est avec d'autres yeux que maintenant je regarde
le sable, les flaques d'eau sous la bruine,
une petite fille traînant derrière elle un cerceau,
un couple, qui sait des amoureux, la main dans la main,
les gradins vides, les hautes maisons, le ciel
qui nous éclaire trop tard.
Je me retourne, je suis étonné
de trouver là son triste visage.

jusque dans la caverne ciel et sol
et une à une les vieilles voix
d'outre-tombe
et lentement la même lumière
qui sur les plaines d'Enna en longs viols
macérait naguère les capillaires
et les mêmes lois
que naguère
et lentement au loin qui éteint
Proserpine et Atropos
adorable de vide douteux
encore la bouche d'ombre

bon bon il est un pays
où l'oubli où pèse l'oubli
doucement sur les mondes innommés
là la tête on la tait la tête est muette
et on sait non on ne sait rien
le chant des bouches mortes meurt
sur la grève il a fait le voyage
il n'y a rien à pleurer

ma solitude je la connais allez je la connais mal
j'ai le temps c'est ce que je me dis j'ai le temps
mais quel temps os affamé le temps du chien
du ciel pâlissant sans cesse mon grain de ciel
du rayon qui grimpe ocellé tremblant
des microns des années ténèbres

vous voulez que j'aille d'A à B je ne peux pas
je ne peux pas sortir je suis dans un pays sans traces
oui oui c'est une belle chose que vous avez là une bien
                                        [belle chose
qu'est-ce que c'est ne me posez plus de questions
spirale poussière d'instants qu'est-ce que c'est le même
le calme l'amour la haine le calme le calme

Mort de A. D.

et là être là encore là
pressé contre ma vieille planche vérolée du noir
des jours et nuits broyés aveuglément
à être là à ne pas fuir et fuir et être là
courbé vers l'aveu du temps mourant
d'avoir été ce qu'il fut fait ce qu'il fit
de moi de mon ami mort hier l'œil luisant
les dents longues haletant dans sa barbe dévorant
la vie des saints une vie par jour de vie
revivant dans la nuit ses noirs péchés
mort hier pendant que je vivais
et être là buvant plus haut que l'orage
la coulpe du temps irrémissible
agrippé au vieux bois témoin des départs
témoin des retours

vive morte ma seule saison
lis blancs chrysanthèmes
nids vifs abandonnés
boue des feuilles d'avril
beaux jours gris de givre

je suis ce cours de sable qui glisse
entre le galet et la dune
la pluie d'été pleut sur ma vie
sur moi ma vie qui me fuit me poursuit
et finira le jour de son commencement

cher instant je te vois
dans ce rideau de brume qui recule
où je n'aurai plus à fouler ces longs seuils mouvants
et vivrai le temps d'une porte
qui s'ouvre et se referme

que ferais-je sans ce monde sans visage sans questions
où être ne dure qu'un instant où chaque instant
verse dans le vide dans l'oubli d'avoir été
sans cette onde où à la fin
corps et ombre ensemble s'engloutissent
que ferais-je sans ce silence gouffre des murmures
haletant furieux vers le secours vers l'amour
sans ce ciel qui s'élève
sur la poussière de ses lests

que ferais-je je ferais comme hier comme aujourd'hui
regardant par mon hublot si je ne suis pas seul
à errer et à virer loin de toute vie
dans un espace pantin
sans voix parmi les voix
enfermées avec moi

je voudrais que mon amour meure
qu'il pleuve sur le cimetière
et les ruelles où je vais
pleurant celle qui crut m'aimer

hors crâne seul dedans
quelque part quelquefois
comme quelque chose

crâne abri dernier
pris dans le dehors
tel Bocca dans la glace

l'œil à l'alarme infime
s'ouvre bée se rescelle
n'y ayant plus rien

ainsi quelquefois
comme quelque chose
de la vie pas forcément

COMMENT DIRE

folie —
folie que de —
que de —
comment dire —
folie que de ce —
depuis —
folie depuis ce —
donné —
folie donné ce que de —
vu —
folie vu ce —
ce —
comment dire —
ceci —
ce ceci —
ceci-ci —
tout ce ceci-ci —
folie donné tout ce —
vu —
folie vu tout ce ceci-ci que de —
que de –
comment dire —
voir —
entrevoir —
croire entrevoir —
vouloir croire entrevoir —

folie que de vouloir croire entrevoir quoi —
quoi —
comment dire —
et où —
que de vouloir croire entrevoir quoi où —
où —
comment dire —
là —
là-bas —
loin —
loin là là-bas —
à peine —
loin là là-bas à peine quoi —
quoi —
comment dire —
vu tout ceci —
tout ce ceci-ci —
folie que de voir quoi —
entrevoir —
croire entrevoir —
vouloir croire entrevoir —
loin là là-bas à peine quoi —
folie que d'y vouloir croire entrevoir quoi —
quoi —
comment dire —

comment dire

NOTES ET VARIANTES

« elles viennent » (p. 7)
Poème écrit vers 1937 en anglais, traduit en français avant 1946 par l'auteur. Le texte anglais donné par Peggy Guggenheim dans ses mémoires (*Out of This Century*, New York, 1946, p. 250n.) diffère légèrement de la version française (le dernier vers comportant « *life* » où on s'attendrait plutôt à « *love* »), parue pour la première fois dans *Les Temps modernes*, IIe année, n° 14 (novembre 1946), p. 288 (ci-après *TM),* numérotée I.

« à elle l'acte calme » (p. 8)
Poème écrit entre 1937 et 1939, paru pour la première fois dans *TM*, numéroté II.

« être là sans mâchoires sans dents » (p. 9)
Poème écrit entre 1937 et 1939, paru pour la première fois dans *TM*, numéroté III.

Ascension (p. 10)
Poème écrit entre 1937 et 1939, paru pour la première fois dans *TM*, numéroté IV.

La Mouche (p. 11)
Poème écrit entre 1937 et 1939, paru pour la première fois dans *TM*. À comparer avec la dernière strophe du poème anglais de 1935, *Serena I.*

« musique de l'indifférence » (p. 12)
Poème écrit entre 1937 et 1939, paru pour la première fois dans *TM*, numéroté VI.

« bois seul » (p. 13)
Poème écrit entre 1937 et 1939, paru pour la première fois dans *TM*, numéroté VII.

« ainsi a-t-on beau » (p. 14)

Poème écrit entre 1937 et 1939, paru pour la première fois dans *TM*, numéroté VIII. Variante *TM* : « gentil » (vers 11).

DIEPPE (p. 15)

Poème écrit en 1937, suggéré par un quatrain de Hölderlin (*Der Spaziergang*), paru pour la première fois sans titre dans *TM*, numéroté IX.

RUE DE VAUGIRARD (p. 16)

Poème écrit entre 1937 et 1939, paru pour la première fois dans *TM*, numéroté X. Variante *TM* : « je me débraye » (vers 2).

ARÈNES DE LUTÈCE (p. 17)

Poème écrit entre 1937 et 1939, paru pour la première fois dans *TM*, numéroté XII *(sic)*. Variante *TM* : « qui vous éclaire » (vers 21).

« jusque dans la caverne ciel et sol » (p. 18)

Poème écrit entre 1937 et 1939, paru pour la première fois dans *TM*, numéroté XIII.

« bon bon il est un pays » (p. 19)

Poème écrit entre 1947 et 1949, paru pour la première fois dans les *Cahiers des Saisons*, n° 2 (octobre 1955), p. 115 (ci-après *CS*), sous le titre de *Accul.* Variante *CS* : « Qu'est-ce que c'est » (vers 18).

MORT DE A. D. (p. 20)

Poème écrit vers 1947 en souvenir d'un collègue à l'hôpital de la Croix-Rouge irlandaise, Saint-Lô (Manche), paru pour la première fois dans *CS* (variante : « vieux bois grêlé témoin des départs », vers 14).

« vive morte ma seule saison » (p. 21)

Poème écrit entre 1947 et 1949, paru pour la première fois dans *CS*.

« je suis ce cours de sable qui glisse » (p. 22)
Poème écrit en 1948, paru pour la première fois dans *Transition Forty-Eight*, n° 2 (juin 1948), p. 96 (ci-après *TFE*).

« que ferais-je sans ce monde sans visage sans questions » (p. 23)
Poème écrit en 1948, paru pour la première fois dans *TFE*. Variantes : « sans visages » (vers 1) et « comme hier comme avant-hier » (vers 10).

« je voudrais que mon amour meure » (p. 24)
Poème écrit en 1948, paru pour la première fois dans *TFE*. Variantes : « et dans les rues » (vers 3) et « pleurant la seule qui m'ait aimé » (vers 4).

(Notes établies par John Fletcher)

« hors crâne seul dedans » (p. 25)
Poème écrit en 1976, paru pour la première fois dans *Minuit 21*.

COMMENT DIRE (p. 26)
Poème daté du 29 octobre 1988. Manuscrit reproduit en fac-similé en mai 1989 dans un tirage hors-commerce destiné exclusivement à la librairie Compagnie.

mirlitonnades

1976-1978

en face
le pire
jusqu'à ce
qu'il fasse rire

rentrer
à la nuit
au logis
allumer

éteindre voir
la nuit voir
collé à la vitre
le visage

somme toute
tout compte fait
un quart de milliasse
de quarts d'heure
sans compter
les temps morts

fin fond du néant
au bout de quelle guette
l'œil crut entrevoir
remuer faiblement
la tête le calma disant
ce ne fut que dans ta tête

silence tel que ce qui fut
avant jamais ne sera plus
par le murmure déchiré
d'une parole sans passé
d'avoir trop dit n'en pouvant plus
jurant de ne se taire plus

écoute-les
s'ajouter
les mots
aux mots
sans mot
les pas
aux pas
un à
un

lueurs lisières
de la navette
plus qu'un pas s'éteignent
demi-tour remiroitent

halte plutôt
loin des deux
chez soi sans soi
ni eux

imagine si ceci
un jour ceci
un beau jour
imagine
si un jour
un beau jour ceci
cessait
imagine

d'abord
à plat sur du dur
la droite
ou la gauche
n'importe

ensuite
à plat sur la droite
ou la gauche
la gauche
ou la droite

enfin
à plat sur la gauche
ou la droite
n'importe
sur le tout
la tête

flux cause
que toute chose
tout en étant
toute chose
donc celle-là
même celle-là
tout en étant
n'est pas
parlons-en

samedi répit
plus rire
depuis minuit
jusqu'à minuit
pas pleurer

chaque jour envie
d'être un jour en vie
non certes sans regret
un jour d'être né

nuit qui fais tant
implorer l'aube
nuit de grâce
tombe

rien nul
n'aura été
pour rien
tant été
rien
nul

à peine à bien mené
le dernier pas le pied
repose en attendant
comme le veut l'usage
que l'autre en fasse autant
comme le veut l'usage
et porte ainsi le faix
encore de l'avant
comme le veut l'usage
enfin jusqu'à présent

ce qu'ont les yeux
mal vu de bien
les doigts laissé
de bien filer
serre-les bien
les doigts les yeux
le bien revient
en mieux

ce qu'a de pis
le cœur connu
la tête pu
de pis se dire
fais-les
ressusciter
le pis revient
en pire

ne manquez pas à Tanger
le cimetière Saint-André
morts sous un fouillis
de fleurs surensevelis
banc à la mémoire
d'Arthur Keyser
de cœur avec lui
restes dessus assis

plus loin un autre commémore
Caroline Hay Taylor
fidèle à sa philosophie
qu'espoir il y a tant qu'il y a vie
d'Irlande elle s'enfuit aux cieux
en août mil neuf cent trente-deux

ne manquez pas à Stuttgart
la longue Rue Neckar
du néant là l'attrait
n'est plus ce qu'il était
tant le soupçon est fort
d'y être déjà et d'ores

vieil aller
vieux arrêts

aller
absent
absent
arrêter

fous qui disiez
plus jamais
vite
redites

pas à pas
nulle part
nul seul
ne sait comment
petits pas
nulle part
obstinément

rêve
sans fin
ni trêve
à rien

morte parmi
ses mouches mortes
un souffle coulis
berce l'araignée

d'où
la voix qui dit
vis

d'une autre vie

mots survivants
de la vie
encore un moment
tenez-lui compagnie

44

fleuves et océans
l'ont laissé pour vivant
au ru de Courtablon
près la Mare-Chaudron

de pied ferme
tout en n'attendant plus
il se passe devant
allant sans but

sitôt sorti de l'ermitage
ce fut le calme après l'orage

à l'instant de s'entendre dire
ne plus en avoir pour longtemps
la vie à lui enfin sourire
se mit de toutes ses dents

la nuit venue où l'âme allait
enfin lui être réclamée
voilà-t-il pas qu'incontinent
il la rendit une heure avant

pas davantage
de souvenirs qu'à l'âge
d'avril un jour
d'un jour

son ombre une nuit
lui reparut
s'allongea pâlit
se dissolut

noire sœur
qui es aux enfers
à tort tranchant
et à travers
qu'est-ce que tu attends

le nain nonagénaire
dans un dernier murmure
de grâce au moins la bière
grandeur nature

à bout de songes un bouquin
au gîte à dire adieu astreint
de chasse lasse fit exprès
d'oublier le chandelier

CET OUVRAGE A ÉTÉ ACHEVÉ D'IMPRIMER LE
VINGT-HUIT JUILLET DEUX MILLE DIX DANS LES
ATELIERS DE NORMANDIE ROTO IMPRESSION S.A.S.
À LONRAI (61250) (FRANCE)
N° D'ÉDITEUR : 4909
N° D'IMPRIMEUR : 102215

Dépôt légal : août 2010